开拓机遇　应对挑战

——在金砖国家领导人非正式会晤上的发言

（2015年11月15日）

习　近　平

人　民　出　版　社

开拓机遇　应对挑战

——在金砖国家领导人非正式会晤上的发言

（2015年11月15日）

习　近　平

尊敬的普京总统，

尊敬的莫迪总理，

尊敬的祖马总统，

尊敬的罗塞夫总统，

各位同事：

很高兴再次见到各位同事。感谢普京总统主持今天的会晤。乌法会晤后，我们五国积极落实各项成果，加强相互沟通和协调，共同推动金砖国家合作取得了新进展。

同时，国际形势发生新变化，世界经济复苏缓慢，地缘政治问题较前突出，全球性挑战不时涌现。在这个大背景下，金砖国家发展也面临一些新情况。一是外部环境中复杂和困难因素增多，全球总需求不足，各国宏观经济政策分化加剧，世界经济增长不确定性加大。二是受内外因素影响，金砖国家经济增长普遍放缓，发展进入调整期。三是国际上唱衰金砖国家的声音并未停止。

真金不怕火炼。伙伴的意义和价值，不仅在于顺境中共襄盛举，更在于逆境时携手前行。只要我们坚定信心、加强协调，我们的合作就一定能乘风破浪、穿云破雾，让世界对金砖国家的成色有新的认识。

对金砖国家更好发挥作用，我愿提出以下建议。

（一）**塑造有利外部发展环境，共同完善全球经济治理**。近期，各国股市汇市及全球能源资源价格波动成因复杂，是国际金融危机深层次影响的传导效应。

我们应该引导各方对金砖国家发展形成合理预期。要看到金砖国家经济增速虽然有所放缓，但新兴市场国家对世界经济增长的贡献超过50%，仍然是世界经济增长的重要引擎。展望未来，全球经济复苏仍然需要新兴市场国家提供后劲和动力。我们应该在二十国集团框架内加强合作，推动各方加大宏观经济政策协调力度，重点防范短期金融风险，避免货币战、贸易战。同时，我们也要未雨绸缪，加快推进金砖国家新开发银行和应急储备安排的机制建设，共同维护国际金融稳定。

我们应该加强在国际货币基金组织、世界银行、世界贸易组织等机制内的协调和配合，着力提升发展中国家和新兴市场国家在国际治理体系中的代表性和发言权。日前，国际货币基金组织已经完成特别提款权审查报告，明确指出人民币满足可自由使用标准，建议将人民币纳入特别提款权货币篮子。中方对此表示欢迎，也期待金砖国家继续支持人民币“入篮”。这有利于完善国际货币体系，维护全球金融稳定，将是一个共赢的结果。

（二）**就重大国际和地区问题发声，共同应对各种全球性挑战**。当今世界仍然不太平，地区冲突和热点问题远未解决，恐怖主义带来的危害更加突出。发生在巴黎的系列恐怖袭击事件再次表明，恐怖势力的能量和危害不容低估，恐怖主义已成为我们当前面临的最严峻和急迫的安全挑战。国际社会必须携起手来，按照联合国宪章宗旨和原则以及其他公认的国际关系基本准则，进一步加强反恐合作，特别要注重标本兼治，不搞双重标准。金砖国家应该在反恐经验交流、情报分享、线索核查、执法合作等领域开展广泛合作。

当前,欧洲难民问题突出,其根源在于地区不稳定和发展不平衡,解决的出路在于谋求和平、实现发展。近期,有关各方接连召开了两次叙利亚问题外长会议,在实现全面停火、启动政治进程、成立过渡管理机制、举行大选等方面达成了不少重要共识。我们要抓好落实,在联合国主持下,开启政治过渡进程,保持这一来之不易的势头。

(三)推动互利共赢的国际发展合作,共同倡导新型全球发展伙伴关系。今年是国际发展年。两个月前,我同各位同事一道出席了联合国发展峰会。我感到很多发展中国家关心金砖国家合作,期待金砖国家在发展问题和南南合作方面发挥作用。

我们应该同广大发展中国家一道,推动发达国家兑现承诺、履行义务,为建立更加多元开放、务实有效的新型全球发展伙伴关系而努力。

我们应该结合落实2030年可持续发展议程，同发展中国家交流发展理念，分享发展经验，深化南南合作。我们不但要做执行2030年可持续发展议程的领跑者，而且要帮助其他发展中国家落实议程。

（四）携手推进经济优化升级，共同实现长远发展。金砖国家正在相继进入中等收入国家行列，面临着相同或相似的任务。我们的发展模式要从依靠要素投入向依靠劳动生产率提高转变，发展理念要从侧重速度向注重质量和效益转变，经济结构要从相对单一向均衡合理转变，经济增长要从主要依靠出口向扩大内需转变。这四大转变为我们提供了新的合作空间和合作机遇。我们应该结合落实乌法会晤通过的金砖国家经济伙伴战略，携手打造利益共享的价值链和大市场。

伴随结构调整和改革深化，中国越来越成为消费品市场和产能、资本输出国。我们希望同其他金砖国家共享发展机遇，提高经济合作水平。

各位同事！

二十国集团领导人安塔利亚峰会是当今世界格局和形势下一次非常重要的会议，我们要相互支持和呼应，进一步推动二十国集团从危机应对机制向长效治理机制转变，既注重周期性政策，也同步推动结构性改革。要建设开放型世界经济，反对贸易保护主义。要推动各方均采取负责任的宏观经济政策，力避负面外溢效应，共同扩大全球总需求。

中国将于明年举办二十国集团领导人第十一次峰会。中方感谢金砖成员国对中国办会的宝贵支持，将主办明年二十国集团领导人峰会视为推动金砖国家合作的重要机遇。

明年，印度也将接任金砖国家主席国，中方会全力支持印方主办好明年金砖国家领导人会晤。希望这两场重要活动能够相互呼应，相得益彰，共同在新形势下为推动世界经济发展和深化金砖国家合作作出贡献。

谢谢大家。

图书在版编目(CIP)数据

开拓机遇　应对挑战:在金砖国家领导人非正式会晤上的发言/习近平 著. —北京:人民出版社,2015.11

ISBN 978-7-01-015537-1

Ⅰ.①开…　Ⅱ.①习…　Ⅲ.①习近平-讲话-学习参考资料　Ⅳ.①D2-0

中国版本图书馆 CIP 数据核字(2015)第 272267 号

(RMC-ZJDXI-030-20151115)

开拓机遇　应对挑战

KAITUO JIYU　YINGDUI TIAOZHAN

——在金砖国家领导人非正式会晤上的发言

(2015 年 11 月 15 日)

习　近　平

人民出版社 出版发行

(100706　北京市东城区隆福寺街 99 号)

北京新华印刷有限公司印刷　新华书店经销

2015 年 11 月第 1 版　2015 年 11 月北京第 1 次印刷

开本:880 毫米×1230 毫米 1/32　印张:0.5

字数:4 千字

ISBN 978-7-01-015537-1　定价:2.00 元

邮购地址 100706　北京市东城区隆福寺街 99 号

人民东方图书销售中心　电话 (010)65250042　65289539